S0-BDM-227

Distribuido por: **Editorial Juventud**
TEL. (55) 5203-9749 - México DF. www.editorialjuventud.com.mx
juventud@editorialjuventud.com.mx

Traducción al español: Julia Vinent

1ª edición, abril 2001

Título de la edición original: «Une soupe au caillou»
Impreso en Francia por Jean Lamour, 54320 Maxéville

Anaïs Vaugelade

# Una sopa de piedra

Editorial Corimbo
Barcelona

Es de noche… invierno.
Un viejo lobo se acerca al pueblo de los animales.

La primera casa es la casa de la gallina.
El lobo llama a la puerta, toc, toc, toc.
«¿Quién es?», pregunta la gallina.
El lobo responde: «Soy el lobo».

La gallina se alarma. «¡El lobo!»
«No tengas miedo, gallina, soy viejo y no tengo dientes.
Deja que me caliente en tu chimenea y que me prepare una sopa de piedra.»
La gallina vacila; no está tranquila, claro, pero es curiosa.
Nunca ha visto un lobo de verdad,
sólo lo conoce por los cuentos… Además le gustaría
probar una sopa de piedra.
Entonces abre la puerta.

El lobo entra, suspira y dice:
«Gallina, por favor, déjame una marmita».
«¡Una marmita!», se alarma la gallina.
«Escucha, gallina, hace falta una marmita
para preparar una buena sopa de piedra.»
«No lo sabía», confiesa la gallina.
«Jamás la he probado.»
Entonces el lobo explica la receta:
«En una marmita poner una piedra grande,
añadir el agua y esperar».
«¿Es todo?», pregunta la gallina.
«Sí, todo.»
«Yo en mis sopas», dice la gallina,
«añado siempre un poco de apio.»
«Se puede añadir, da gusto», dice el lobo
y de su saco extrae una piedra grande.

Pero el cerdo ha visto al lobo entrar en casa de la gallina. Está inquieto. Llama a la puerta, toc, toc, toc.
«¿Va todo bien?»
«¡Entra cerdo! El lobo y yo estamos preparando una sopa de piedra.» El cerdo se asombra:
«¿Una sopa de piedra? ¿Sólo de piedra?»
«Por supuesto», dice la gallina. «Pero se puede añadir un poco de apio, da gusto.»
El cerdo pregunta si se puede poner algún calabacín.
«Se puede», dice el lobo.

Entonces el cerdo corre a su casa
y vuelve con calabacines. Pero el pato y el caballo
han visto al lobo entrar en casa de la gallina.
Inquietos, llaman a la puerta, toc, toc, toc.
«Adelante», dice la gallina. «El lobo, el cerdo y yo
estamos preparando una sopa de piedra.»
El cerdo precisa: «Con un poco de apio y calabacín».

El pato, que ha viajado mucho, asegura que probó
una sopa de piedra, una vez en Egipto, y que llevaba puerros.
Que lo recuerda bien porque es lo que
más le gusta en la sopa, los puerros. La gallina pregunta al lobo:
«¿Es posible una sopa de piedra con puerros?».
«Es posible.»

Entonces el pato y el caballo corren a su casa
y traen los puerros. Pero el cordero,
la cabra y el perro están inquietos, porque han visto
al lobo entrar en casa de la gallina. No les hace falta llamar,
la puerta está completamente abierta.
«¿Qué hacéis?», preguntan.
«El lobo, el cerdo, el pato, el caballo y yo,
estamos preparando una sopa de piedra», dice la gallina.
Os podéis imaginar lo que sigue. Uno quiere nabos,
el otro propone col, después cada uno corre
a su casa y trae legumbres, legumbres
para todos los gustos.

Ahora se sientan todos en círculo
alrededor de la chimenea. Bromean
y discuten. La gallina comenta:
«¡Que agradable es estar todos juntos!
Tendríamos que hacer estas cenas más a menudo».
«Al principio creí que iba a hacer sopa de gallina», dice el cerdo.
El pato pide al lobo que cuente
alguna de sus terribles historias,
para conocer su punto de vista. Pero el agua ya hierve
en la marmita y el lobo mete el cazo.
«Creo», dice, «que la sopa está lista.»

El lobo sirve a todos los animales.
La cena se alarga hasta muy tarde.
Y todos repiten sopa tres veces.

Después, de su saco, el lobo saca un cuchillo puntiagudo… y pincha la piedra.
«Vaya, todavía no está cocida», dice.
«Si no os importa, me la llevaré para la cena de mañana.»
La gallina pregunta: «¿Ya te vas?».
«Sí», responde el lobo.
«Pero os agradezco esta agradable velada.»
«¿Volverás pronto?», pregunta el pato. El lobo no contesta.

Pero no creo que vuelva.